KB076055

슬기로운 학교생활

슬기로운 학교생활

지은이 2023 부성초 인문독서동아리 (모여봐요 독서의 숲: 강예은, 서유림, 신유나, 이채린. 김다원, 김지율, 서예림, 김다솜, 봉채현, 김은채, 이하윤, 박채연, 김민조, 최은우)
발 행 2024년 2월 15일
펴낸이 한건희
펴낸곳 주식회사 부크크
출판사등록 2014.07.15.(제2014-16호)
주 소 서울특별시 금천구 가산디지털1로 119 SK트윈타워 A동 305호
전 화 1670-8316
이메일 info@bookk.co.kr

ISBN 979-11-410-7195-0

www.bookk.co.kr

슬기로운 학교생활

2023 부성초
인문독서동아리

BOOKK

차례

이 책을 읽는 사람들에게 한 마디

이 책의 주인공은 5학년 여학생입니다. 요즘 유행하는 성격 테스트로 따지면 I의 성격을 가지고 있는 소심하고 자기 할 말을 못 해 오해도 받고 손해도 보는 성격이지요. 그런 학생이 좋은 친구들을 만나면서 그리고 신기한 현상을 겪으면서 조금씩 변해 가는 이야기를 담고 있답니다.

처음으로 학생들이 글이라는 것을 쓰려고 하다보니 의견도 제각각이고 어떻게 하는지도 잘 몰라 우왕자왕 하였답니다. 여러 학생들의 다양한 생각을 하나의 글로 엮는 것은 쉽지 않더군요. 그래도 이렇게 한 편의 글로 완성된 것을 보니 대견하고 뿌듯합니다.

요즘 초등학교 고학년 여학생들의 관심사와 마음을 조금은 엿볼 수 있는 내용이랍니다. 내용이 조금 어색하고 불편하더라도 학생들의 첫 작품이니만큼 예쁜 눈과 열린 마음으로 읽어 주시기 바랍니다. 그리고 여러분도 작품 속의 주인공처럼 나를 알아주는 멋진 친구들과 슬기로운 학교 생활을 해 나가길 기원합니다.

등교 첫날

내 이름은 다슬기. 시골에서 살다가 아버지 회사 일 때문에 이곳으로 이사를 왔다. 워낙 소심한 성격 과 특이한 이름 때문에 전 학교에서도 친구들과 친해지기가 너무 어려웠다. 이제 막 조금씩 친해졌는데 전학을 오게 되어서 너무 슬펐다. 여기서도 친구들을 사귈 수 있을까? 이곳 친구들과 친하게 지내고 싶다.

등교 첫날, 나는 새롭고 떨렸다. 그리고 슬펐다. 왜냐하면 내가 조금이라도 친해진 친구들은 한 명도 없고 완전 새로운 곳이었으니까 말이다.
5학년 2반 교실에 발을 내딛는 순간 너무 떨렸다. 두리번거리며 앉을 자리를 찾던 그 때,
"안녕? 난 한소라야. 넌 이름이 뭐야?"
눈이 크고 초롱초롱한 아이가 나에게 말을 건넸다. 근데 그 맑은 눈을 계속 보고 있으니 특이한 아이인 것도 같았다.
"나...나?"

"응! 그래 너!"

"아...내 이름은 다..스..슬기야.."

"오! 너 이름이 특이하네! 나랑 친하게 지내자!"

"어...응."

첫날부터 친구를 사귀었다는 생각에 너무나 기뻤다.

"슬기야, 오늘은 첫날이니까 마음대로 앉아도 돼. 내 옆에 앉아!"

"응!"

나는 기쁜 마음으로 소라의 옆에 앉았다. 자리에 앉아서 소라의 무한질문을 버텨야 했지만 그래도 친구를 사귀었다는 생각에 그 정도는 참을 수 있었다.

드르륵...

하나, 둘 아이들이 들어오고 빈 자리가 모두 채워진 그 때, 선생님이 교실로 들어오셨다.

"안녕하세요. 여러분 올해 5학년 2반을 맡게 된 선생님 이름은 남산입니다."

"선생님 이름은 왜 남산이에요?"

"나는 남산 근처 병원에서 태어나서 이름이 남산이야. 참 이름을 대충 지었지? 자, 선생님 소개는 했으니 이제 여러분 각자 소개를 해봅시다."

"제가 먼저 할래요!"

자신감이 넘쳐보이는 목소리의 소라가 번쩍 손을 들었

다.

"나는 한소라야. 다들 친하게 지내보자!"

"다음."

"네, 저는 한겨울입니다. 전교회장이 꿈이에요!"

"겨울아, 너는 아직 5학년이어서 전교 부회장밖에 안 된다."

선생님의 말씀에 다들 웃음을 터뜨렸다.

"다음."

"넵! 저는 나도윤! 이라고! 합니다!"

'재는 아까 선생님한테 왜 이름이 남산이라고 물어봤던 애네.'

그 이후 다른 친구들이 차례대로 자기소개를 했고, 드디어 마지막으로 내 차례가 되었다.

"마지막은 그래 너. 나와서 자기 소개해보자."

"ㄴ...네...아..저..는 다..다슬기..에요.."

기어들어가는 목소리로 겨우 이름만 말하고 들어와 자리에 앉았다. 고개를 들 수 없었다.

'으아....부끄러워서 말을 더듬었어! 어떡하지? 이대로면 애들이 나를 어떻게 생각할까? 안 좋게 봤겠지?'

다행히 쉬는 시간을 알리는 종이 울려 어색한 상황은 모면할 수 있었다.

쉬는 시간이 되자 내 옆에 앉은 소라가 또 나에게 질문을 했다.

"슬기야! 그런데 넌 왜 이름이 다슬기야?"
"ㄴ...나?"
"응~! 성이 다씨면 슬기라고 이름 안 지을 거 같아서. 놀림받을 수도 있잖아."

사실 내 이름이 다슬기인 이유는 엄마가 슬기로운 아이를 바라며 아이 이름을 꼭 슬기로 하고 싶은 꿈을 어렸을 때부터 갖고 있었다. 그런데 엄마는 우리나라에 몇 명 없다는 '다'씨 성을 가진 남편을 만나버렸고... 그래서 내 이름이 다. 슬 .기가 되었다. 그리고 나는 유치원을 다닐 때부터 놀림을 많이 받았다.

조금 걱정되었지만 처음으로 사귄 친구가 된 소라가 이름으로 놀리지 않길 바라며 내 이름이 다슬기인 이유를 설명해 주었다.
"헐, 대박! 슬기롭게 살라고 다슬기... 얼~ 이름에 좋은 뜻이 있었네."
다행히도 소라는 내 이름에 대한 사연에 긍정적인 답변을 해서 정말 다행이었다.
하루가 어떻게 지나갔는지도 모르게 등교 첫날이 지나갔다. 하루가 너무 길었다. 원래 이렇게 학교가 힘들었나? 내일은 안 이러겠지?

체육 시간 1

오늘은 내가 좋아하는 체육 시간이 있는 날이다. 나는 체육을 구경하는 것을 좋아한다. 이 학교에서 체육은 처음이라 더 떨렸다. 아이들은 반장을 따라 체육관으로 가기 시작했다. 그래서 나도 아이들을 따라갔다. 난 체육을 잘 못하지만 이렇게 넓고 좋은 체육관에서라면 체육을 조금 더 잘 할 수 있을 거 같다. 체육관에서 준비운동을 하고 있는데 체육 선생님이 들어오셨다. 체육 선생님은 카리스마가 있으면서도 다정해 보였다. 선생님이 날 가리키며 말씀하셨다.

"넌 누구니?"

"슬기에요. 다슬기.."

"응. 그래. 전학왔나 보구나. 얘네들 다 작년에 가르쳤던 애들인데 너는 못 보던 얼굴이라. 얼른 준비 운동하고 모이렴."

준비운동이 끝난 뒤 모둠끼리 모여 앉았다.

체육 선생님 성함은 '육체육'라고 하셨다.

"다들 내 이름은 알겠지만 난 똑바로 읽어도 육체

육이고 거꾸로 읽어도 육체육이야."

'이 학교에는 나처럼 특별한 이름이 많네.'

피식 웃음이 나왔다.

"오늘은 첫날이니까 친해질 겸 피구를 하겠습니다."

선생님의 말에 우리는 모두 환호했다. 나는 다른 친구들을 따라서 준비운동을 하고 피구를 했다.

피구는 내가 2번째로 좋아하는 운동이다. 내가 1번째로 좋아하는 운동은 농구다. 근데 나는 키가 작아서 농구를 잘하지는 못하지만 보는 것도 하는 것도 좋아한다.

피구가 시작됐다. 반대편 아이가 공을 내게 던졌다. 하지만 내가 잡았다. 그 공을 잡고 던지려는 순간 내 발에 내가 걸려 넘어지려 했다.

'으악~ 안 돼~!!'

그 때, 누군가가 날 잡아서 일으켜 주었다. 고개를 들어보니 그 아이는 겨울이었다.

한 겨 울.

나를 그런 상황에서 구해 준 겨울이가 정말 고마웠다. 아무튼 덕분에 마음을 가다듬고 공을 다시 던졌다. 그러나 아쉽게도 내 공은 상대편의 어깨를 아슬아슬하게 빗나갔다. 우리 팀 아이들이 모두 나에게 실망한 듯 했다. 체육 선생님이 휘파람을 불고 피구가 종료

됐다. 결국 우리팀이 졌다.

우리 팀이었던 친구들의 원망스러운 눈초리. 대놓고 말하지는 않았지만 나는 알 수 있었다.

나는 터덜터덜 교실로 향했다. 쉬는 시간 종이 울렸다. 속상한 마음에 눈물이 나왔다. 잘할 수 있는데... 잘하고 싶은데... 마음처럼 되지 않아 나 자신이 원망스러웠다.

"슬기야, 괜찮아? 피구 못하는 것은 잘못이 아니야. 못해도 괜찮아. 친구들이 뭐라고 해도 나는 니 편이야. 그러니까 힘내. 알았지?"

나를 위로해주러 온 소라의 말에 속상한 마음이 달래졌다. 소라 같은 친구가 나에게 있다니... 정말 감동이었다. 덕분에 조금이나마 용기를 얻을 수 있었다.

그때 눈앞에 흐릿하게 글자가 보였다.

괜찮아. 기회는 많아. 넌 할 수 있어.

'헉, 이게 뭐지? 내가 긴장을 해서 헛것을 보는 건가?'

나는 내 눈을 의심하며 눈을 비볐다. 글자는 금새 사라졌지만 분명히 글자였다. 그래도 날 응원해주는 것 같아 왠지 모르게 힘이 났다.

친구의 가면

전학을 온 지 어언 한 달이 지나도록 나는 여전히 인기 없고 소심한 아이였다. 친구라고는 여전히 첫날 나에게 먼저 말 걸어준 소라뿐이었다. 그런데 우리반에는 '서율'이라는 착하고 성실하고 인기가 많은 아이가 있었다. 게다가 반장까지.

국어시간, 선생님께서 나에게 발표를 시키셨다.
"슬기야, 이거 발표해 볼래?"
"아, 네. 이것에 대한...저의...의견은..."
그 때, 도윤이가 말했다.
"선생님~ 목소리가 너무 작아서 안들려요."
나는 너무 부끄러웠다.
"선생님...저...못하겠어요. 다음에 할게요."
나는 결국 발표를 못하고 고개를 푹 숙일 뿐이었다. 선생님은 다음으로 서율이를 시키셨다. 아이들은 내가 발표할 때와 달리 기대에 가득 찬 눈빛이었다.
"네! 이것에 대한 저의 의견은⋯."
모두가 예상했듯이 서율이는 발표를 잘 해냈고 나는 더

욱더 자신감이 사라졌다.

쉬는 시간이 되자 친구들은 항상 그렇듯 서율이 자리에서 서율이를 둘러싸고 서율이에게 질문을 퍼부었다.

“서율아, 넌 공부도 잘하고 그림도 잘 그리고 예쁘고 착하기까지. 비결이 뭐야?”

“비결은 무슨...내가 뭘 잘한다고 그래.”

“와... 겸손하기까지. 진짜 하늘이 평화로운 세계를 만들었다면 그건 서율이를 위한 세계이지 않을까?”

나는 그 말을 듣고 문득 궁금해졌다.

‘그러게. 비결이 진짜 뭘까?’

다음 쉬는 시간, 서율이는 물 마시러 교실로 왔고 나는 몸이 아파서 보건실에 있다가 와서 다른 아이들은 먼저 운동장에 가 있고 나와 서율이만 단둘이 교실에 남아 있었다. 둘이 있는 틈을 타 나는 큰 용기를 내어 서율이에게 말을 건넸다.

“저...저기...서율아!”

“왜?”

서율이가 돌아보았다.

“너는 공부도 잘하고 친구들에게 인기도 많잖아. 그 비결이 뭐야? 어떻게 하면 나도 너처럼 될 수 있을까?”

용기 내어 물어본 내 질문에 대한 서율이의 대답은 놀라웠다.

"네가 알아서 뭐하게? 아, 네가 나처럼 되고 싶다고? 평소 발표하는 거 보니까 크크. 그럴 가능성은 아예 없을 것 같은데."

"뭐?"

"비결이라면 착한 척 좀 해주고 걍 친한 척만 해주면 돼. 아, 근데 너는 못하겠다. 크크. 난 먼저 간다."

서율이는 교실을 나가면서 바닥에 떨어져 있던 도윤이의 필통을 발로 차고 소라 책상위에 있던 머리핀을 한번 살펴보더니 아무렇지 않게 자기 주머니 속에 집어넣었다. 서율이의 모습을 보며 평소 내 롤모델이었던 서율이에게 배신감과 실망감이 들었다.

그 때, 수업 종이 울렸다. 앞문에서 인기척을 느꼈지만 늦으면 혼날 것 같아 서둘러 운동장으로 나갔다.

체육 시간이 끝나고 교실에서는 소라가 머리핀을 찾느라 야단이었다.

"슬기야, 혹시 내 머리핀 봤어? 내가 책상 위에 올려놓고 나간 거 같은데 책상이랑 바닥이랑 다 살펴봐도 없어. 서율이 말로는 니가 제일 마지막으로 교실을 나갔다는데 혹시 알아?"

"어...나는..."

나는 당황하여 대답을 하지 못하고 서율이를 쳐다봤다. 서율이는 팔짱을 끼고 당당한 표정으로 말할 테면 말해 보라는 듯한 눈빛을 나에게 보내고 있었다.

"음...그게 있잖아..."

내가 말을 못 하고 머뭇거리고 있으니까 서율이가 말했다.

"소라랑 슬기는 친한데 설마 슬기가 가져갔겠어? 이런 일로 우리 친구들끼리 의심하지 말자."

"역시 율이. 그러게. 내가 워낙 덤벙대니까 어디다 놓고 또 까먹었나봐. 하하."

서율이의 말에 소라는 대수롭지 않다는 듯 말을 하며 자리에 앉았다. 서율이는 자리로 돌아가며 다시 한번 나를 쳐다보았다. 다른 친구들도 나를 흘깃 쳐다보며 무슨 말을 하는 듯했지만 나는 이미 주눅이 들어 더 이상 대꾸하지 못하고 자리에 앉았다.

그런 아이에게 휘둘리지 마!

눈앞에 다시 또 글씨가 나타났다. 신기했지만 놀라거나 재미있어 할 기분이 아니어서 고개를 흔들어 눈앞의 글자를 지워버렸다.

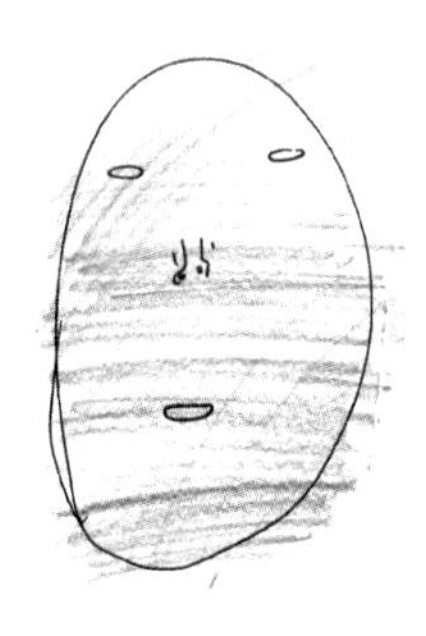

국어 시간

나는 독서를 좋아한다. 책을 읽고 상상하는 것은 나의 유일한 취미이다.

독감에 걸려 학교를 결석하고 집에 있는데 반장인 서율이에게 문자가 왔다. 국어 시간 과제가 <동화 내용 바꾸기>라는 것이다. 나는 재미있게 읽었던 동화 중에 한 편을 골라 바꿔갔다.

일 주일 만에 등교한 날, 국어 시간이 되어 써 온 글을 한 명씩 발표했다.

소라의 이야기-바위의 애인

어떤 한 바위가 있었는데 그 바위에게는 흙이라는 애인이 있었다. 어느 날, 바위가 있는 곳에 홍수가 나서 흙이 떠내려갔다. 바위는 흙을 찾으러 모험을 떠났다. 그런데 모험 중에 만난 인간들은 몸에 이상한 글자를 새기거나 단단한 물건을 집어던지고, 일부러 위에 올라가 몸을 밟는 등 나쁜 행동만 일삼을 뿐이었다. 인간들에게 온갖 이용을 당하고 고통을 겪으며 그래도 흙을 찾으러 여정을 이어가던 어느 날, 보리라는 사람이 진심으로 바위를 도왔고 결국 흙을 만날 수 있었다.

서율이의 이야기-마술사의 토끼
'에이제'라는 무명마술사가 있었다. 그 마술사는 세계 최고의 마술사가 되기 위해 많은 노력을 했지만 노력은 재능을 이기지 못했다. 어느 날, 에이제가 산책을 하다가 한 토끼를 만났는데 토끼가 이상하게 마음에 끌려 집에 데려가서 키우기로 마음먹었다. 그런데 그 순간 신기하게도 토끼가 알아서 에이제의 집으로 갔다. 토끼와 함께 집에 온 에이제는 토끼가 마술 도구 쪽으로 가지 못하게 했는데 막으면 막을수록 토끼는 더 마술 도구 쪽으로 가려고 했다. 그래서 에이제는 토끼를 막는 것을 포기했다. 그런데 갑자기 토끼가 마술 도구를 입에 물더니 마술을 하였다. 심지어 에이제도 실패한 마술도 해냈다. 그래서 에이제는 토끼에게 '제이미'라는 이름을 지어준 다음 토끼와 함께 마술대회에 나가 우승을 하였다.

서율이의 글을 듣고 선생님께서는 칭찬하셨다.
친구들도 모두 박수를 치며 말했다.
"와, 역시 서율이야."
"서율이는 글도 잘 쓰는구나. 못하는 게 없어."
'소라도 그렇고 서율이도 잘 썼네. 그런데 저런 내용의 동화도 있었나?'

생각하는 사이 드디어 나의 차례.

나의 이야기- 초능력 사탕

수진이에게는 고민이 있었다. 할머니 댁에 가야 하는데 할머니 댁은 다른 나라여서 한번 가면 최소 2주 이상은 있어야 했다. 엄마 아빠는 그 일로 자꾸 싸웠다.

"우리 엄마 아프다니까 엄마한테 가야 해요."

"아니, 장모님 댁은 제작년에도 갔잖아. 직장도 바쁘고 우리 대출금 때문에 돈도 없어!"

수진이는 엄마 아빠 싸움을 피해 밖을 서성이다 이끌리듯 어떤 길로 들어갔다. 그런데 거기에는 오래된 가게가 있었다. 가게 이름은 [신비한 사탕 가게]였다. 구경하러 들어간 수진이는 눈에 띄는 물건을 발견하였다. 물건의 이름은 바로 [초능력 사탕]이었다. 주인 아주머니께 가격이 얼마인지 물어보았더니 하나에 5000원이라고 하셨다. 수진이는 초능력 사탕의 설명을 읽고 비싸지만 꼭 사야겠다고 마음먹었다.

설명: 원하는 곳을 생각하고 먹으면 원하는 장소로 갈 수 있음. 먹기 전 반으로 갈라 먹으면 2회 사용 가능 주의: 깨물어 먹으면 타인을 데려갈 수 있음. 최대 4명까지

지갑에서 5000원을 꺼내 아주머니께 드리고 초능력 사탕을 받았다. 수진이는 집에 달려갔다. 그리고 가방에서 초능력 사탕을 꺼냈다.

곧바로 수진이는 기쁜 마음에 엄마에게 전화를 걸었습니다.

엄마는 수진이의 설명을 듣고

"설마 그렇겠니? 엄마 바빠 끊어."

아빠께도 전화했지만 같은 답변이었다. 그래도 수진이는 그 말을 믿었다.

다음 날 수진이가 초능력 사탕을 먹었다. 주의사항까지 꼼꼼히 읽었다. 물론 반으로 쪼개서 깨물어 먹었다. 덕분에 가족들과 할머니댁에 다녀올 수 있었다.

그런데 수진이에게 곤란한 일이 생겼다. 엄마아빠가 초능력 사탕을 산 가게가 어디냐고 꼬치꼬치 캐물었기 때문이다. 수진이는 결국 장소를 말했고 엄마와 아빠는 부리나케 가보았지만 가게는 없었다. 찾고 또 찾았지만 결국 못 찾았다.

내가 발표를 끝내자마자 서율이가 친구들을 향해 큰 목소리로 말했다.

"니가 쓴 글 '천전당'이라는 책 내용이랑 완전 비슷한데?"

서율이의 말 한 마디에 아이들이 자기들끼리 수근대기 시작했다.

"어? 그..그게 내가 그 책을 읽고 쓴거라 내..내용이.. ㅂ..비슷한거야..."

얼굴이 발개지고 식은땀이 흘렀다. 그러자 눈앞에 또 글씨가 보였다.

좀 더 당당하게 말해 봐. 너도 할 수 있어. 너가 어떤 방식으로 썼는지 사실대로 말해.

'맞아. 난 잘못한 게 없어. 이번엔 이 환각 말대로 해볼까? 하지만...어떻게? 난 못해. 할 수 없어...'

내가 우물쭈물하고 있는 사이 소라의 화난 목소리가

날아 왔다.

“야! 조용히 해. 슬기 말 못 들었어? 책 읽고 쓴 거라서 내용이 비슷하다는 거잖아!”

“야, 그러니까 재 표절했단 말이잖아.”

“그러니까 말야.”

“한소라 왜 지 혼자 급발진하고 난리냐.”

“지 친구니까 그러겠지.”

소라의 말에도 아이들은 계속 수근거렸다.

“야!! 슬기는 동화책을 변형해 오는 거인 줄 알았대잖아! 그럼 오히려 슬기는 잘 쓴 거 아니야?”

“애들아, 조용!! 슬기는 아픈 와중에도 숙제를 해왔잖니? 그런 정성이 중요한거야.”

선생님의 말 덕분에 아이들의 웅성거림은 멈출 수 있었다.

“슬기야 괜찮아? 울지마. 잘 몰랐으면 그럴 수도 있지. 글 잘 썼더라.”

소라가 나를 위로해줬지만 나는 너무 속상해서 눈물이 났다.

쉬는 시간에도 아이들의 수근거림은 남아있었다.

“야, 다슬기가 왜 우냐, 울어야 할 건 천전당 글 쓴 사람 아니냐? 크크”

“그러게 말야.”

나는 집에 도착한 뒤에도 학교에서 있었던 일이 자꾸 떠올랐다.

'분명 서율이가 <동화 내용 바꾸기>라고 했는데...'

나는 서율이가 나한테 왜 그랬는지, 내가 뭘 잘못했는지 생각해 보았지만 답이 떠오르지 않았다. 답답했다.

전학생

의기소침한 나날들을 보내던 어느 날, 우리 반에 전학생이 왔다.

이름은 '황소현'

그런데 뭔가 특이해 보였다.

"소현이는 저기 보라색 옷 입은 소라 뒤에 앉으렴."

선생님께서 말씀하였다. 소라는 궁금함을 참지 못하고 아침 자습시간인 것도 잊었는지 아예 뒤로 돌아 소현이에게 물음표 살인마처럼 말할 틈도 주지 않고 궁금한 것을 왕창 물어봤다.

"어디서 살다 왔어?"

"부모님 직업이 뭐야?"

"키가 몇이야?"

"몸무게는?"

"별명은?"

"지금은 어디 살아?"

"……."

그런데 소현이는 아무 말도 하지 않았다.
"뭐야, 사람 무안하게."
소라는 머리를 긁적이며 말했다. 나 역시 왜 소현이가 아무 대답을 안할까 궁금했다.
'나처럼 소심한가?'
학교가 끝나고 버스를 기다리고 있는데 누군가의 어머니로 보이는 분이 우리 쪽으로 손을 흔드셨다. 알고 보니 소현이 어머니께서 소현이를 데리러 오신 것이었다.
그런데 소현이와 소현이 어머니가 손짓 같은 것을 나누는 것이었다. 버스 정류장에서 기다리던 아이들이 다들 웅성거리며 쳐다봤다.
"쟤 좀 봐. 엄마랑 말을 안 해."
소라가 나에게 말했다.
다음 날, 소현이한테 어렵지만 어제 일에 대해 조심스럽게 물어보았다..
"어제 너희 어머니 오신 것 봤어. 젊고 미인이시더라. 그런데 어머니랑 한 손짓, 혹시...수화 같은 거야?"
"아, 봤구나. 사실 나아...귀가 조금 안 들려."
소현이의 말을 듣자 이제야 어제의 궁금증이 해결이 되었다.
'아, 어제 궁금한 것을 물어 봤을 때 무시한 게 아니라 잘 못 들은 것이었구나.'

"어제는 첫 날이라 너희들이 이상하게 볼까 봐 보청기를 끼지 않고 와서 금방 알아듣기가 조금 어려웠어."

이제 보니 오늘 소현이의 귀에는 무언가가 끼워져 있었다. 보청기였다. 그 말을 하는 소현이의 표정이 약간 쑥스러워 보였다.

"왜? 청각 장애 있는 것은 전혀 부끄러운 게 아니야. 어제 수화하는 거 보니까 정말 대단하던걸?"

나의 말에 소현이는 환하게 웃었다. 나는 왠지 소현이와 좋은 친구가 될 수 있을 것 같아 기분이 좋았다. 그 때, 소라가 우리 옆으로 다가왔다.

"무슨 얘기를 그렇게 열심히 해?"

소현이는 어제 질문에 대답하지 못한 이유를 소라에게도 말해줬다.

"헐. 어쩐지. 그래서 그런 표정을 지었었구나. 어제는 내가 오해했어. 나는 너가 잘 안 들리는지 몰랐어. 말하지 그랬어."

"괜찮아! 오늘은 잘 들려. 우리 친구할래?"

"좋아!"

나의 예상대로 소현이와 나, 소라는 그 후 친한 친구 사이가 되었고 소현이는 만들기를 무지무지 잘하는 멋진 아이였다. 친구가 한 명 늘었다!

체육 시간 2

"얘들아, 다음 주 화요일에 5학년 1반과 피구 대항전 이 있다."

선생님의 말에 우리반은 점심시간, 체육 시간마다 피구 연습을 열심히 하였다. 우리 반 에이스는 전교회장이 꿈이라고 말했던 한겨울. 피구를 정말 잘한다.

그런데 시합 도중 한겨울이 피구공을 상대방에게 세게 던지려다 내 발을 밟고 넘어지는 바람에 창문에 공이 맞아 창문이 깨지는 일이 발생했다. 놀란 아이들은 비명을 질렀다. 겨울이는 많이 당황했고 나는 아픈 것보다 아이들의 비명 소리에 깜짝 놀랐다.

물품을 정리중이시던 체육 선생님이 비명 소리에 달려오셨다.

"무슨 일이니?"

"아니..그게 제가 일부러 그런건 아니고...발에 걸려 넘어지는 바람에 배구공이 날아가서 창문이 깨졌어요."

한겨울이 작은 목소리로 선생님께 말했다.

"후....한겨울. 창문 깬 거는 실수지?"

"네. 세게 던지려다 제 발에 걸렸어요."

"그래. 실수니까 괜찮아. 너희들. 유리 치워야 하니까 다들 창문 근처에도 가지 마라."

겨울이는 왜인지 모르겠지만 자기 발에 걸렸다고 선생님께 말하였다. 분명 내 발에 걸린 것이었는데... 결국 시합은 그렇게 끝났고 우리 반은 지고 말았다. 교실에 들어오니 친구들은 모두 한겨울 주위에 몰려 있었다.

"겨울아 괜찮아?"

"그러게. 너 괜찮아?"

우리반 아이들 모두가 한겨울을 걱정했다.

"응. 난 괜찮아. 실수라서 선생님도 봐주셨는걸."

"헐...다행이다.."

그 때, 서율이가 말했다.

"겨울아, 너 실수로 넘어진 거 아니잖아. 누구 발에 걸려 넘어졌잖아. 그거 다슬기 발 아니었어? 내가 봤어."

"헐..진짜 다슬기야?"

"지난 번 피구도 다슬기 때문에 우리 지지 않았냐? 또 졌네."

서율이의 말에 친구들은 모두 나를 쳐다보았다.

'내가 일부러 그런게 아닌데...진짜...정말 아닌데...한겨울이 내 발 밟은 거구 나는 뒤에 서 있었을 뿐인

데...'

저런 말에 넘어가지 마! 너의 상황을 당당하게 말해.

'아...이 메시지는 왜 자꾸 나타나는 거야. 그래. 메시지대로 해 보자.'

"겨울이가 내 발 밟은 거야..."

내가 기어들어가는 목소리로 말하자 소라가 앞으로 나서며 큰 목소리로 말했다.

"야! 한겨울이 뒷걸음질 치다가 뒤에 있던 슬기 발 밟은 건데 왜 슬기 탓을 해?"

소라의 말에 한겨울이 말했다.

"맞아. 내가 슬기 발을 밟은 거야. 다슬기. 미안."

겨울이의 말에 친구들도 더이상 아무말하지 않고 자리로 돌아갔다. 소현이가 옆에서 작게 말했다.

"슬기야, 잘 말했어."

물론 큰 소리로 당당하게 말하진 못했지만 할 말은 했다는 생각에 가슴 한켠이 뿌듯했다.

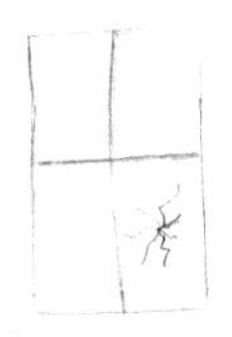

환각

집에 돌아와 침대에 누워 그동안 학교에서 있었던 일들을 떠올렸다.

'피구대항전에서도 나 때문에 지고... 난 왜 잘 하는 게 없냐... 아.. 나도 다 잘할 수 있으면 좋겠다.'

그 순간!

너도 네가 좋아하는 걸 알고 노력하면 잘 할 수 있어. 단지 자신이 좋아하는 걸 아는 사람이 적은 거지.

뭐야 또? 근데 이번 거는 쫌 기네. 근데...자기가 좋아 하는 걸 아는 사람이 적다고? 자기가 좋아하는 건 모두가 아는 거 아니야?'

이건 꿈도 아니고 환각도 아니고 그냥 너에게 보내는 메시지야. 자기가 좋아하는 걸 아는 사람이 적은 것도 사실이고.

진짜 꿈도 아니고 환각도 아니라고? 그럼 왜 나한테 이런 메시지가 자꾸 눈에 보이는 거지?

오늘 오후 5시에 호수 공원으로 나와. 그러면 내가 누구인지 알 수 있을 거야.

어? 지금 왜 벌써 5시지? 메시지를 보낸 사람 만나야 하는데 늦었다. 기다려 주겠지? 최대한 빨리 가야겠다!

드디어... 나의 머리에 메시지를 보낸 사람의 얼굴을 볼 수 있었다. 나는 내가 이상해져서 헛것이 보이는 줄 알았는데 사람이 보낸 거라니...

하얗고 뽀송한 피부에 양갈래로 묶은 짙은 갈색 머리카락, 렌즈를 낀 듯한 파란색의 눈동자. 예쁘다. 길 가다 이렇게 생긴 사람을 보면 연예인이냐고 사인해달라고 하고 싶을 만큼 예뻤다. 난 이름이 뭔지 묻고 싶었다. 그런데 목소리가 안 나왔다. 비유적인 표현이 아니라 진짜로. 그 사람은 조금 있다가 말을 꺼냈다.

"흐음...진짜 사람이라는 걸 알았는데 기분이 어때?"

세상에서 한번도 들어본 적 없는 좋은 목소리다. 그리고 안 나오던 목소리가 나왔다.

"예뻐요."

"음? 소감을 물어본 건데 하하. 그게 다야?"

"예쁘다는 말밖에 못하겠어요."

그리고 난 갑자기 정신을 잃었다. 그리고 정신이 들어 눈을 떠 보니 여기는 학교인가? 난 분명히 메시지를 보낸 사람이랑 같이 있었는데? 휴대폰의 시계를 보니 5시였다. 내가 메시지를 보낸 사람이랑 같이 있던 시간이 어림잡아 최소 5분은 될 텐데 시간이 왜 안 흘렀지?

빠밤 빠바밤 빠밤 빠빠밤 따단단단 따단단단 단딴다단

알람 소리에 깜짝 놀라 눈을 떴다.

"꺅!!! 지금 몇시야?"

시계를 보니 8시였다.

"엄마! 나 왜 안 깨웠어!"

"일어나라고 몇 번을 말해도 니가 안 일어났잖아."

부리나케 준비를 하고 집을 나섰다.

'진짜 그 사람이 메시지를 보낸건가? 꿈이라기엔 '너무 생생했는데..아, 몰라. 일단 학교부터 가자.'

이상한 꿈 때문에 지각을 하게 돼서 조금 짜증이 났다. 스트레스 때문인가...

소라의 오해

어느 날, 재미있는 게임을 가르쳐 준다고 소현이가 나를 집으로 초대했다. 엄마한테 혼날 것 같았지만 그래도 재밌을 것 같아 배워 보기로 했다.

우선 아이디를 만들어야 해서 함께 고민하다가 [SODA]로 완성을 했다. 소현이와 내 이름의 앞 글자를 딴 것이었다. 소현이가 설명을 해주니 머릿속에 쏙쏙 기억도 잘 되고 생각보다 소현이가 게임을 정말 잘해서 나는 만날 때마다 소현이와 게임하고 싶다는 생각이 들 정도였다. 그렇게 매일 게임 이야기를 하다 보니 자연스럽게 우리는 절친이 되었다.

그러던 어느 날, 우리 반에 또 새로운 전학생이 왔다. 그 전학생은 온몸을 옷으로 덮고 있었다. 더위가 기승을 부리는 날씨였는데도 말이다.

"나린이는 소라 옆자리에 앉자."

선생님께서 말씀하셨다.

이름은 김나린.

짝꿍이었던 소라는 한 달마다 바뀌는 자리 교체 때 내 앞에 앉게 되었던 참이었다. 나는 이번 달에 소현이와 짝꿍이 되었다.
소라는 썩 내키진 않는 듯한 미소를 지었다.
“안녕? 너 이름이 나린이? 맞아?”
“응, 맞아. 친하게 지내자.”
쉬는 시간이 되자 나린이는 화장실에 가고 소라는 평소처럼 뒤를 돌아 소현이와 나에게 말을 했다.
“나린이 어떤 거 같아?”
소라가 물었다.
“응? 뭐... 괜찮은 애 같아.”
“아, 그래? 진짜 그러면 좋겠다. 우리 넷이 베프먹으면 좋잖아.”
소라는 이번에도 영 석연치 않은 미소를 지었다.
며칠 뒤, 소라가 소현이와 나에게 말했다.
“우리 화장실 가자.”
다같이 화장실에서 수다를 떠는 와중에 나린이 이야기가 나왔다.
“그런데 나린이 걔, 옷도 그렇고. 애가 좀 우울한 거 같지 않니?”
소라가 말했다.
“그래도 전학생이니까 우리 잘해주자!”
“슬기, 넌 착하구나?”

내 말에 소현이가 칭찬을 해주었다.

“너희 다 같은 전학생이라고 서로 편드는 거야?”

소라는 약간 심통이 난 말투로 우리에게 말하더니 혼자서 화장실을 나갔다.

학교가 끝나고 방과후 시간에 나와 소라, 소현이는 함께 건강 체육을 했다. 그런데 오늘따라 소라의 기분이 안 좋아 보였다. 그래서 나와 소현이가 방과후 내내 소라의 눈치를 보면서 기분이 좋아지게 하려고 노력했다. 방과후가 끝나고 나는 소라에게 물어보았다.

“소라야, 요즘 우리랑 말도 잘 안 하고 화난 거 같아. 왜 화가 났는지 말해줄 수 있어?”

소라는 금방이라도 눈에서 눈물이 떨어질 것 같은 표정으로 말했다.

“요즘 너랑 소현이가 너무 붙어있잖아. 학교 끝나고 둘이 집에 가는 날도 많고. 나도 끼고 싶은데...”

“그냥 집에 가서 같이 게임한 거였어.”

“나도 게임할래. 같이 하면 되잖아.”

“내가 같이 하자고 했어야 했는데...내 잘못이야. 미안해. 소라야.”

“솔직히 김나린 일도 그래. 너희 둘! 왜 계속 나린이 편들고 잘해줘?”

“전학생이니까 잘해줘야 한다고 생각했어. 그리고 셋이서 노는 거 보다 4명이 더 좋으니까. 미안. 내가 네 생각을 못했어."

나는 소라에게 나린이에 대해 이야기해 주었다.

"나린이가 원래 시골에서 살다가 아빠 회사가 성공해서 이사를 왔는데 회사가 잘못되어서 시골로 내려갈 돈도 없고 지금 많이 어려운가 봐."

"아... 그래서.. 그런 거였구나. 헐, 나 어떡해. 요즘에 되게 쌀쌀맞게 대했는데..."

"그럼 나린이한테 사과하러 가자."

"그래!"

소라는 나린이에게 울 것 같은 목소리로 사과를 했다. 나린이는 그런 소라를 보며 웃으며 말했다.

"괜찮아, 그럴 수 있어. 앞으론 친하게 지내자!"

"응!" 앞으로는 오해가 없도록 다 말하고 서로 챙겨주자고 다짐했다. 서운한 게 있으면 바로 얘기해주기로 약속했다.

주말, 나는 소현이네 집에 놀러 갔다.
이번에는 소라와 나린이도 함께였다. 게임 닉네임은 [Goanfrhk_gosuemf!4]로 정했다. 참고로 닉네임의 뜻은 해물과 해녀들을 그냥 영어로 쓴 거다! 왜 해물과 해녀들이냐면.. 나 다슬기와 소라는 해물이고(엄밀히 말하면 다슬기는 해물이 아니긴 하지만) 해녀는 소현이와 나린이다! 함께 게임을 했더니 기분이 정말 좋았다. 이제 우리는 사총사다!

난 아니야

"얘들아, 내 목걸이가 없어졌는데 본 사람?"

한겨울이 큰 소리로 친구들한테 가지고 갔냐며 물어보았다. 겨울이의 얼굴이 하얘진 것을 보니 굉장히 소중한 물건인 듯했다.

"못 봤는데."

"그거 할머니께서 돌아가시기 전에 주신 건데...."

겨울이가 눈물을 흘렸다. 겨울이가 울다니...

"야, 찾아보자."

친구들은 소란을 떨며 교실 이곳저곳을 돌아다니기 시작했다. 그 때 서율이가 내 자리 주변을 돌아다니더니 무언가를 집어 들어올렸다.

"겨울아, 혹시 이거 아니야?"

서율이의 말에 일제히 친구들이 내 쪽을 돌아보았다.

"이거 다슬기 자리에 있던데?"

그러자 친구들은 나를 쳐다 보며 모두 웅성대기 시작했다.

"다슬기가 가져간 거야?"

“야.. 그럼 예전에 한소라 머리핀도 다슬기가 그런 거 아니야?”

“그니까 평소에 소심한척 하더니 소름이다.”

머리가 살짝 지끈거렸다. 요즘에는 머리가 지끈거리거나 메시지가 보이는 일이 줄어 나아졌나 했는데...

친구들의 웅성거림에 소라가 자리에서 일어나 친구들을 노려보며 외쳤다.

“야, 너네 그렇게 살지 마. 너네 진짜 추해. 최악이야. 그리고 뭐? 슬기가 내 머리핀을 훔쳐?”

“아..아니 그게 아니라.. 추측이라는 거지...,”

“야, 같잖은 소리 하지 마. 추측이라 해도 너무한 거 아니야? 본인이 듣고 있는데 그게 할 소리냐?”

소라의 말에 아이들은 의심쩍은 눈빛만 보낼 뿐 아무 말도 못하였다.

“슬기는 오늘 하루종일 소라랑 나랑 나린이랑 같이 있었거든?”

“맞아. 한번도 떨어진 적이 없었어.”

소현이와 나린이도 내 편을 들어주었다. 그런 친구들의 모습을 보니 왠지 용기가 났다.

“내가 가져간 거 아니야. 정말 난 애들이랑 놀고 있었어!”

내가 처음으로 교실에서 큰 목소리를 내자 아이들도 놀라는 눈치였다.

"애들아, 그만해. 찾았으면 됐지."

겨울이가 말에 웅성대던 목소리도 잦아들었다. 왜 목걸이가 내 자리에 있었을까…

목걸이 사건이 있고 다음 쉬는 시간, 가연이가 서율이에게 다가가 말했다. 가연이는 같은 반 친구이지만 나와 친하진 않다. 그냥 가끔 나에게 눈인사만 하는 정도?

"너! 가서 슬기한테 사과해."

"내가 왜? 뭘 잘못했다고?"

"너 내가 다 봤어. 지난번 한소라 머리핀. 오늘 한겨울 목걸이."

순간 서율이가 움찔한 거 같았다. 서율이도 가만히 있지 않고 큰 소리로 받아쳤다.

"무슨 소리야. 내가 뭘 어쨌다는 건데?"

"내가 그 때 체육시간에 물 가지러 앞문으로 들어가다가 다슬기랑 대화하는 거 다 듣고 다 봤어. 너! 애들 앞에서 제대로 사과해. 특히 슬기한테."

가연이와 서율이의 대화에 아이들은 일제히 둘을 쳐다봤다.

"애들아, 가연이가 오해하고 있는 거 같은데 난 잘못

한 것 없어. 믿어 줘, 애들아."
서율이는 매우 억울하다는 표정이었다. 그러자 가연이가 다슬기에게 다가와 말했다.
"너도 다 봤잖아. 그때 체육 하러 가기 전 일. 너 왜 가만히 있어? 지금이야, 말해."
가연이의 결심에 찬 표정에 나도 용기내어 말했다.
"어...그게...가연이 말이 맞아."
내가 큰 목소리로 말하자 서율이는 당황했다.
"슬기야, 너 갑자기 왜 그래? 너 안 그러던 애잖아."
"야, 서율! 너가 체육가기 전에 애들 물건 건드리는 거 다 봤어! 그리고 너가 다슬기 뒷담 하던 거도 다 들었어! 더 이상 슬기한테 뒤집어 씌우지 마!
가연이의 말에 친구들은 모두 놀란 표정을 지었다.
"헐...그럼 지금까지 한 말 다 거짓말이야? 우리한테 슬기에 대해서 그렇게 뒷담 하더니."
친구들은 나에게 다가와 그동안 서율이의 말만 듣고 의심하고 뒷담화했던 것에 대해 사과를 했다.
서율이는 결국 울음을 터뜨렸다.
그 날 늦은 저녁, 나는 서율이에게서 긴 메시지를 받았다.
[슬기야, 미안해. 사실... 난 네가 부러웠어...난 착함이라는 가면을 써야 친구들이 나를 좋아하는 것 같은데 너는 원래부터 착하잖아. 그래서 니 친구들이 너를 있

는 그대로 진심으로 좋아하는 것 같고. 내가 너 뒷담해서 미안해. 네 뒷담을 하고 나서 마음 한켠에 계속 죄책감이 들더라]

서율이는 진심으로 용서를 구했고 나는 서율이의 사과를 받아주었다. 서율이는 이 일이 있은 후 많이 달라졌고 이번 일에 정의롭게 나섰던 가연이는 2학기 반장이 되었다.

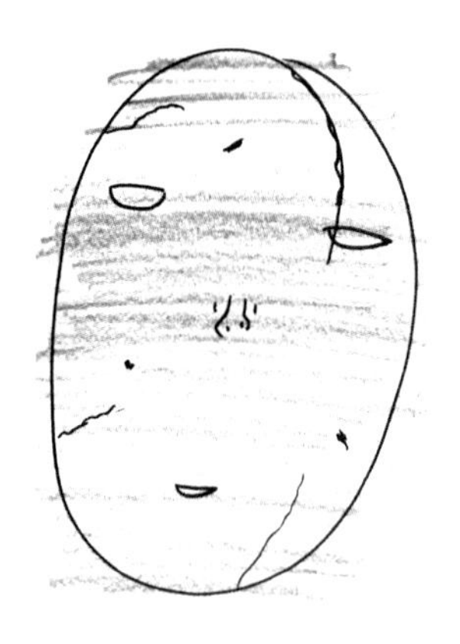

주말

소라:야야 슬기야

슬기:엉어어어ㅓ?

소라:우리 놀자

슬기:오키

소라: 토요일, 호수공원 2시

오늘은 즐거운 주말!

소라와 함께 호수 공원에 가기로 했다. 주말인데도 아침 7시부터 일어나 아침밥을 먹고 옷을 골랐는데 입을 옷이 없어서 언니 방에 몰래 들어갔다. 그리고 언니의 이쁜 후드티를 훔치지 않고 언니가 모르게 빌려 입었다. 마음에 드는 옷을 입으니 기분이 좋았다!

그런데 약속 장소에는 소라가 아닌 한겨울이 있었

다.

"너 왜 여기 있어?"

"아, 그게 말야."

이런 생각을 하는데 소라가 왔다.

"뭐야? 한겨울? 네가 왜 여기서 나와? 혹시 슬기 너! 나와 약속이 있었지만 그걸 핑계로 한겨울이랑 데이트하려고 한 거야? 그럼 슬프지만 나는 빠질게."

그러고는 소라는 쌩하니 뒤돌아 가버렸다.

"야, 한소라! 진짜 가면 어떡해!"

한겨울을 놔둔 채 나는 소라에게 뛰어갔지만 소라는 눈 깜짝할 사이 시야에서 사라졌다. 어쩜 저렇게 달리기가 빠르지? 자리에 멈추어 주변을 두리번거리고 있는데 길가에 주차된 차 뒤에서 소라가 얼굴을 쏙 내밀었다.

"아, 맞다! 너네 데이트, 나중에 후기 좀 알려줘~"

그러고는 소라가 또다시 빠르게 큰길 쪽으로 뛰어가 버렸다.

"나도 같이 가."

어느새 한겨울도 우리 뒤를 따라와 함께 소라를 따라 뛰었다. 그렇게 한동안 장난을 치며 웃다 지쳐버린 우리는 마라탕 집에서 점심을 먹고 간식으로 탕후루도 먹고 카페에 가서 수다를 떨며 즐거운 시간을 보냈다. 그리고 이날을 기억하기 위해 함께 네 컷 사진도 찍었다. 즐겁게 놀고 집으로 돌아와 왜 한겨울이 있었는지에 대해 소라와 이야기를 나누었다.

“아 한겨울? 한겨울이 나한테 ‘혹시 주말에 다슬기랑 같이 놀아?’ 막 이러던데? 그래서 나는 너랑 같이 논다고 했지. 근데 한겨울이 자기도 끼워달라고 했어. 근데 걔가 우연히 너랑 만난 것처럼 해달라고 너한테는 같이 노는 거 말하지 말라고 했어.”

“그러면 넌 왜 가려고 했어?”

“너는 눈치도 없냐? 한겨울이 너 좋아하는 것 같아서. 너랑 같이 노냐고 물어보고 우리 둘이 노는데 끼워달라고 했잖아. 난 그때 딱 알아봤지. 크크.”

“한겨울이? 나를? 좋아해?”

“엥? 너 몰랐어? 니가 알고 있는 것 같아서 일부로 말 안했는데?”

“설마...아니겠지. 난 전혀 몰랐어.”

“몰랐던 건 몰랐던거고! 너 한겨울 어떻게 생각해?”

소라는 재미있어 죽겠다는 목소리로 들떠서 나에게 물어보았다.

“어...뭐.. 좋은 애긴 하지.”

“아니 그렇게 말고 이성적으로!”

“한겨울을 이성적으로 생각해보면.. 그런 생각을 해본 적이 없어서 잘 모르겠어.”

소라는 계속해서 나를 놀려댔다. 전화를 끊고 나니 얼굴이 빨간 것 같았다. 통화를 너무 오래 했나.

침대에 드러누워 생각해보니 새로운 학교 생활도 나쁘진 않은 것 같다. 아니, 되려 재미있어지려 하고 있다.

번외편 <길거리 캐스팅 아이돌>

오늘은 신나는 주말!
친구들이랑 아이돌 콘서트를 가기로 했다. 나는 +·+라는 아이돌을 좋아한다. 친구들과 버스를 타고 서울에 갔다. 콘서트를 다 보고 나가는데 누군가 우리를 부르는 소리가 났다.
"학생들!"
하면서 나를 보더니
"어! 여기요!!"
라고 하며 나에게 건네준 것은 바로 명함이었고 그 분은 다름 아닌 +·+회사 캐스팅 매니저였다.
친구들과 프로젝트 그룹을 할 생각 있냐고 본 뒤에 나에게 할 생각 있으면 문자를 달라 하시고 가셨다.
친구들이 말했다.
"헐! 미쳤다!!"
나는 친구들에게 물어봤다.
"너희들 할 거야?"

친구들이 말했다.

"응! 부모님께 허락받고 하고 싶어!"

난 친구들에게 부모님께 허락을 받고 연락하라고 한 뒤 집으로 갔다. 잠시 후 소라에게 전화가 왔다.

"나 부모님이 허락해 주셨어!!"

다른 친구들 모두 허락을 받았다고 연락이 왔고 나 역시 부모님이 된다고 하셨다. 나는 캐스팅 매니저님께 연락을 드리고 다음날 바로 친구들과 오디션, 카메라 테스트 등을 하고 나왔다.

그 다음날, 우리는 오디션에 1명도 빠짐없이 모두 합격이라는 메시지를 받았다. 나는 학교에서 친구들에게 그 소식을 알려주고 학교가 끝난 뒤 친구들과 소속사로 가서 간단한 설명을 듣고 부모님, 학교에 허락을 구한 뒤 바로 연습생 생활을 시작했다.

그리고 시간이 얼마나 흘렀을까. 우리의 데뷔 날짜가 정해졌다. 팀명이 정해지고 리더, 메인보컬, 메인댄서 등 각자의 포지션이 정해졌다. 우리 팀명은 "Bella"이다. '아름다운'이라는 뜻을 가진 팀명이다.

그렇게 바쁜 나날들을 보내던 어느 날 저녁, 겨울이에게 연락이 왔다.

슬기야, 요즘 힘들지? 힘내! 응. 그래도 기대 돼!"

겨울이의 응원이 고마웠다. 나는 데뷔가 얼마 남지 않았다는 생각에 하루하루가 설레었다.

드디어 대망의 데뷔 날, 오늘이 무대에 오르는 날이라는 것이 믿기지 않고 떨렸다. 리더인 소라가 말했다.

"진짜 너무 떨려!!"

그렇게 [뮤직 가요] 방송에 섰고 우리는 데뷔곡인 "Cherry"의 성공으로 인기 아이돌이 되었다!

책을 쓰며 느낀 점 한 마디

책을 만드는 것이 이렇게 어려운지 몰랐다. (이하윤)

독서동아리에서 활동하면서 책을 출판하는 경험을 해볼 수 있어서 좋았다. (박채연)

이 책을 쓰는 게 너무 힘들었다. (김다솜)

재미있었음. (강예은)

힘들었음. (김은채)

글을 쓰는 게 힘들었지만 친구들과 책을 쓰는 게 무척이나 재미있었고 행복했다. (최은우)

책을 쓰는 게 재밌고 힘들었다. (김다원)

내가 글을 쓰고 있다는 게 신기하고 책을 한편 쓰는 게 이렇게 힘든 건지 몰랐다. 그리고 다음에도 친구들과 협동하며 글을 써 나가보고 싶다. (서예림)

책을 쓰는 것이 힘들었지만 신기한 경험이었다. (이채린)

글을 내가 직접 만들어 쓰는 게 신기했고 힘들었다. (서유림)

좋은 추억이 된 것 같다. (김지율)

책을 만든다는 것이 쉽진 않지만 재밌고 다음에 또 해보고 싶다. (신유나)

마음이 뿌듯하고 기분이 좋다. (봉채현)

책을 만드는 것은 다시 시도하지 않을 행동이다. (김민조)